Billy Stuart
Les douze travaux

Zintrépides

billystuart.com

Catalogage avant publication de Bibliothèque et Archives
nationales du Québec et Bibliothèque et Archives Canada

Bergeron, Alain M.

Les douze travaux

(Billy Stuart ; livre 11)
Pour les enfants de 8 ans et plus.

ISBN 978-2-89762-094-3

I. Sampar. II. Titre. III. Collection : Bergeron, Alain M. Billy Stuart ; livre 11.

PS8553.E674D68 2016   jC843'.54   C2015-942392-9
PS9553.E674D68 2016

Éditrice : Colette Dufresne
Graphisme : Marie-Ève Boisvert, Éditions Michel Quintin

La publication de cet ouvrage a été réalisée grâce au soutien
financier du Conseil des Arts du Canada et de la SODEC.
De plus, les Éditions Michel Quintin reconnaissent l'aide
financière du gouvernement du Canada par l'entremise du
Fonds du livre du Canada pour leurs activités d'édition.

Gouvernement du Québec – Programme de crédit d'impôt
pour l'édition de livres – Gestion SODEC

ISBN 978-2-89762-094-3

Dépôt légal – Bibliothèque et Archives nationales du Québec, 2016
Dépôt légal – Bibliothèque et Archives Canada, 2016

Éditions Michel Quintin
4770, rue Foster, Waterloo (Québec)
Canada J0E 2N0
Tél. :   450 539-3774
Téléc. : 450 539-4905
editionsmichelquintin.ca

16 - W K T - 1

Imprimé en Chine

Billy Stuart
Les douze travaux

Livre 11

Texte : Alain M. Bergeron
Illustrations : Sampar

ÉDITIONS
MICHEL
QUINTIN

Billy Stuart

Foxy

Yéti

Les Zintrépides

Galopin

Muskie

FrouFrou

AVeRTIssements

Billy Stuart n'est pas l'Élu avec un grand É. Il ne chevauche pas un ours polaire. Il ne porte pas d'anneau à son doigt ni à son oreille. Dans ses tiroirs, il ne cache pas de collections de masques ou de pierres. Il n'a pas de daemon qui marche à ses côtés depuis sa naissance. Son front n'est pas zébré d'une cicatrice.

Bref, le sort du monde ne repose pas sur ses frêles épaules.

Billy Stuart n'est qu'un jeune raton laveur ordinaire à qui sont arrivées des aventures extraordinaires.

Voici la première partie de la onzième histoire qu'il m'a racontée.

Les 9 et 10 septembre, dans la ville de Cavendish.

MOT DE L'AUTEUR

Cher lecteur, je me présente : Je suis Alain M. Bergeron, l'auteur à qui Billy Stuart a raconté ses nombreuses aventures.

Ma présence dans ce livre se fait par l'intermédiaire du « Mot de l'auteur ». Tu repéreras facilement ces interventions grâce à l'encadré qui ressemble à une note collée dans la page.

MESSAGE DE BILLY STUART

Je crois que ma fourrure pue encore le soufre. Vous savez, cette odeur d'œufs pourris qui persiste dans l'air après un orage avec de nombreux éclairs?

Notre aventure avec la déesse de la foudre nous en a mis plein les sens: les éclairs aveuglants, le tonnerre assourdissant et ce parfum répugnant.

À moins qu'il ne s'agisse de ce sale cabot de FrouFrou...

Je peux presque entendre la renarde Foxy riposter:

— Franchement, Billy Stuart!

La déesse de la foudre vaincue, nous sommes prêts à poursuivre notre quête: retrouver la trace de mon grand-père Virgile, afin de pouvoir rentrer chez nous, à Cavendish.

Mais, comme pour chaque nouvelle aventure, j'ai l'impression que nous avons encore beaucoup de travail devant nous! Et même une douzaine de travaux, si je me fie au dernier message de mon grand-père...

CHAPITRE 1

Quand Yéti s'ennuie...

GRUMBLLLL...!

— Quel est ce bruit? dit Muskie, la mouffette, soudain anxieuse.

Il en faut moins que ça pour exciter Yéti, la belette.

— Qu'il y vienne! Non, mais qu'il y vienne, le **GRUMBLLLL...!**

La belette monte à califourchon sur le kappa, un monstre qui a des apparences de gigantesque crapaud.

Nous, les Zintrépides, marchons en direction d'une montagne située au-delà de la plaine.

— Calme-toi, Yéti! lui conseille Galopin, le caméléon. C'est mon ventre qui **GRUMBLLLL...!**

Notre destination, que nous devrions atteindre d'ici peu, est la grotte du chien. C'est là où nous espérons

retrouver la trace de mon grand-père, l'explorateur Virgile.

Peut-être qu'à cet endroit nous franchirons une nouvelle ░░░░░░░░░░░░░░ qui nous ramènera chez nous, à Cavendish.

Kinoah, le roi du village de Fulgura, et son fils Brousse-Li nous escortent. Un juste retour des choses, car nous les avons aidés à vaincre la terrible déesse de la FOUDRE.

— Avez-vous faim, Galopin? demande le roi Kinoah. Il nous reste des sushis à la pieuvre.

Son fils désigne sa besace.

— Moi, ajoute-t-il, j'ai de la salade de méduses.

Foxy, la renarde, réprime une VIOLENTE nausée. Le roi Kinoah et son peuple se sont avérés des hôtes parfaits, si on oublie leur nourriture plutôt… exotique.

Galopin, qui est un inqualifiable gourmand, est le seul des Zintrépides à apprécier leur cuisine.

— Ce serait gentil. Je ne voudrais pas abuser, mais si vous insistez…

Kinoah n'a pas le temps de sortir les ꝘꓴꝘꓭꝘ à la pieuvre de leur contenant que, déjà, la langue du caméléon a saisi sa portion. Un clignement d'œil plus tard et les ꝘꓴꝘꓭꝘ sont avalés.

C'est dégoûtant !

De mon côté, je préfère me concentrer sur une ration imaginaire d'écrevisses en **CHOCOLAT**. Miam ! Miam ! J'en salive rien que d'y penser.

Ouaf ! Ouaf ! Ouaf !

Tiens… en parlant de dégoûtant.

Le caniche blanc des MacTerring a faim. Foxy lui glisse en douce des têtes de POISSON.

Yéti tend la main à sa voisine, la mouffette. Elle est à pied près du kappa.

— Muskie, j'ai soif. Tu me prêtes ta gourde ?

La mouffette lui lance le récipient, sans réfléchir.

Pourquoi est-ce que je me méfie tout à coup ? Yéti porte le goulot à sa bouche. Il fait semblant de boire. Qu'a donc en tête la belette ?

Subitement, je comprends. Je m'écrie :

— Ne fais pas ça, malheureux !

TROP TARD ! Yéti a versé de l'eau dans la couronne sur la tête du kappa. Le monstre, d'habitude aussi inoffensif qu'un têtard, réagit immédiatement. Il se transforme alors en une créature agressive, prête à **ATTAQUER** tout ce qui se situe dans son champ de vision.

C'est ce qu'espérait Yéti. Il saute par terre et se plante devant le monstre en agitant ses poings.

La belette sème l'émoi parmi la troupe, mis à part le roi Kinoah. Tandis que Muskie attrape Yéti par le collet pour le mettre hors de portée de la bête, le roi exécute une étrange danse.

Ses gestes saccadés sont copiés par le kappa. L'un de ces mouvements lui fait incliner la tête. Ainsi, le liquide dans la couronne du monstre se renverse sur le sol. Le kappa redevient indolent et inoffensif.

Je ne suis pas content du tout et je ne me gêne pas pour le faire savoir au principal intéressé.

— Yéti! À quoi as-tu pensé?

La belette me tourne le dos et BOUDe.

— Ben… quoi? Je m'ennuyais.

Foxy aussi lui fait la leçon :

— Voyons, Yéti! Le kappa aurait pu dévorer FrouFrou!

Là, je souris, ce que condamne évidemment Foxy. Je proteste :

— Ben… quoi? Le pauvre Yéti s'ennuyait…

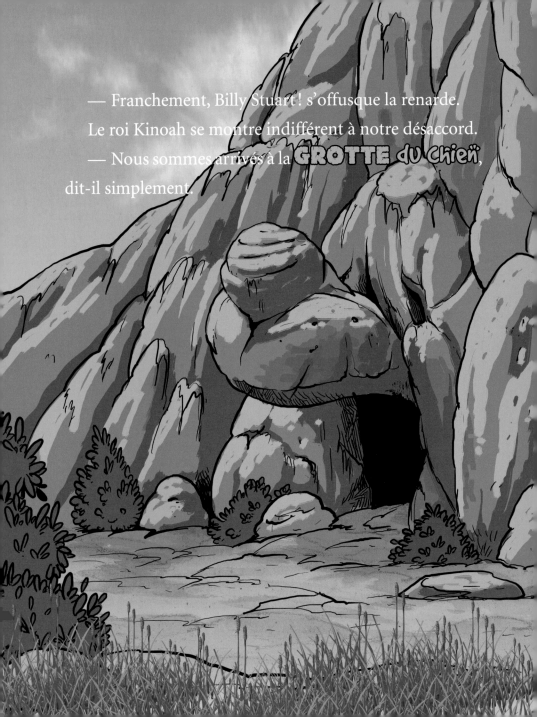

— Franchement, Billy Stuart ! s'offusque la renarde. Le roi Kinoah se montre indifférent à notre désaccord.

— Nous sommes arrivés à la **GROTTE** du chien, dit-il simplement.

CHAPITRE 2

La grotte du chien

Elle porte bien son nom, la grotte du chien. Du moins pour ce qui est de son entrée : les rochers, au pied de la petite montagne, sont placés de telle façon qu'ils donnent L'ILLUSION que l'on pénètre dans la gueule d'un chien géant.

> L'image qui me vient en tête, lorsqu'il est question de chien géant, c'est Clifford, le gros chien rouge créé par l'auteur et illustrateur Norman Bridwell (il est décédé en décembre 2014 à l'âge de 86 ans). L'artiste américain a signé plus d'une quarantaine de livres mettant en vedette son héros à quatre pattes. On estime les ventes dans le monde à plus de 120 millions d'exemplaires.

Une bourrasque de vent nous fait frissonner.

ROOOOUUUFFF !

— Quel est ce bruit ? demande la mouffette, inquiète.

ÇA PROVIENT DE L'INTÉRIEUR DE LA GROTTE.

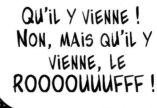

QU'IL Y VIENNE ! NON, MAIS QU'IL Y VIENNE, LE ROOOOUUUFFF !

C'EST LE VENT QUI EST À L'ORIGINE DE CET ABOIEMENT.

IL N'Y A PAS DE MONSTRE ? PARCE QUE L'ON AURAIT PU ENVOYER LE CHIEN EN ÉCLAIREUR.

FRANCHEMENT, BILLY STUART !

NON, PAS DE MONSTRE.

BOF!

N'AIE CRAINTE. JE SUIS CONVAINCU QU'IL Y AURA DES MONSTRES SUR NOTRE ROUTE AVANT LONGTEMPS...

TU DIS ÇA POUR ME FAIRE PLAISIR, BILLY STUART ?

Que répondre ? Comme mes amis les Zintrépides, je n'aspire qu'à une chose : rentrer au plus vite chez moi, à Cavendish, là où il n'y a ni **monstre** ni créature fantastique… Le bonheur, quoi !

Les adieux à Kinoah et son fils Brousse-Li sont brefs. Nous refusons une dernière offre d'une provision de sushis à la pieuvre, à l'exception du caméléon Galopin, dont le **COUP DE LANGUE** est plus rapide que l'œil. Puis, nous nous engouffrons dans la grotte du chien.

TORCHES à la main, nous longeons les parois avec prudence et nous prêtons l'oreille au moindre bruit suspect. Les aboiements de la grotte, causés par le vent, surviennent à l'occasion. Ils entraînent le *réflexe fulgurant* du chien FrouFrou (Ouaf ! Ouaf ! Ouaf !), un commentaire cinglant de ma part (Tais-toi !) et une réplique prompte de Foxy (Franchement !). La routine, quoi !

Nous progressons ainsi durant presque une heure.

Au détour d'un coude, le couloir s'agrandit pour devenir pratiquement une salle. Et ce que l'on y voit nous estomaque !

Ça parle aux millions d'écrevisses de la rivière Bulstrode !

C'EST UNE GALERIE.
UNE GALERIE D'ART !

Chacun des murs – même le plafond – est orné de **PEINTURES RUPESTRES** : des illustrations couleur de mammouths, de taureaux, de vaches **rouges**, de tigres, de chevaux, de cerfs… et de chasseurs.

Les peintures de la grotte de Lascaux, en France, sont célèbres dans le monde entier. Cette grotte a été découverte par des garçons, en 1940. Surnommée « le Versailles de la préhistoire » (Versailles étant LE musée des musées en France), la grotte de Lascaux compterait 1900 représentations d'animaux et d'humains. Elle est inscrite au patrimoine mondial de l'UNESCO. Il est possible de la visiter virtuellement sur le Web. Une expérience fascinante.

Nous restons là, ébahis et en admiration devant ces chefs-d'œuvre d'une lointaine époque.

On ne doit pas s'éterniser ici. Continuons.

— J'aurais dû apporter mon APPAREIL📷PHOTO, regrette Foxy.

Galopin la taquine.

— C'est sûr que tu l'aurais traîné dans le labyrinthe, sur la mer, dans le monde de glace, dans le désert, au zoo…

La renarde s'avoue vaincue devant son argument.

— Bon, ça va. J'ai compris !

Il est difficile d'arracher Foxy à sa contemplation. Je lui promets que l'on reviendra. Elle me réserve un regard SOMBRE.

— Tu sais bien, Billy Stuart, qu'on ne retourne jamais sur nos pas.

Foxy jette un dernier coup d'œil à « sa » galerie d'art. Elle cligne des yeux, tel un APPAREIL📷PHOTO. Veut-elle immortaliser les scènes dans sa mémoire ou désire-t-elle chasser ses larmes naissantes ?

— Oh!

J'ai failli *trébucher* sur le caniche, étendu sur le sol.

DRÔLE D'ENDROIT POUR DORMIR !

Mais il y a plus.

Quand la renarde s'est accroupie auprès du caniche, la **FLAMME DE SA TORCHE** a vacillé. Ce n'est certainement pas une coïncidence, ça.

Je découvre aussi que la torche que portait Yéti s'est éteinte. Elle repose près de lui, encore **FUMANTE**. Même chose pour Galopin.

Foxy a deviné, elle.

— Il y a du gaz au niveau du sol, dit-elle avec un sentiment d'urgence. Relevons nos amis ! Vite !

Foxy s'occupe de FrouFrou, Muskie de Yéti, moi de Galopin. Nous devons les mettre hors d'atteinte de la zone d'influence du gaz, *à l'air frais*. Donc, à hauteur de nos visages.

— Respire, mon beau FrouFrou d'amour chéri que je t'aime ! dit la renarde dans un même souffle. **RESPIRE !**

Elle appuie la tête du cabot sur son épaule.

La mouffette fait de même avec la belette. Elle soutient son dos et lui tient la tête droite.

C'est plus compliqué pour moi avec **GALOPIN**. Le caméléon est plus grand et plus lourd que la belette et le chien. J'en ai plein les bras !

Foxy a vu juste : du gaz carbonique hante la grotte du chien. Plus lourd que l'air, il reste à la surface du sol, ce qui a entraîné la perte de conscience des plus petits Zintrépides. Il existe réellement une grotte du chien à Chamalières, au centre de la France. Son nom vient de la coutume d'utiliser un chien pour signaler la présence de ces vapeurs toxiques.

MESSAGE

CACHÉ

Lis à voix haute.

Pourras-tu comprendre le message caché par Billy Stuart?

FrouFrou souci est cette chien

FrouFrou fou est fois chien

FrouFrou énervé une nos chien

FrouFrou fouine est amis chien

FrouFrou est clébard ont chien

FrouFrou aime Foxy bien chien

FrouFrou un est failli chien

FrouFrou jappeur est y chien

FrouFrou est cabot rester chien

Solution à la page 158

Le premier travail

Avec FrouFrou, Yéti et Galopin à hauteur de nos visages, nous accélérons le pas pour atteindre la **SORTIE** de la grotte du chien.

— On est quand même chanceux que le gaz n'emplisse pas toute la galerie, dis-je à mes amis.

— C'est vrai, Billy Stuart, continue Foxy. Sinon, c'en était terminé des **aventures des Zintrépides**.

Galopin, dans mes bras, tient la torche allumée pour moi. Je ne vois pas grand-chose. C'est donc lui qui me dirige.

— À **◄ GAUCHE**, Billy Stuart… Non, l'autre gauche ! Pas la droite… Oh ! Ralentis ! Il y a une pente descendante… Baisse la tête !

J'ai l'impression d'être un **APPRENTI CONDUCTEUR**, dans une voiture… Le caméléon en rajoute :

Nous sommes expulsés de la grotte du chien avec une **violence inouïe**. Les Zintrépides effectuent un vol plané de plusieurs mètres avant d'aboutir, tête *première*, dans du sable fin…

Une gigantesque clameur nous pétrifie.

— *AAAAAAAAAAH !*

Sauf pour Yéti :

— Qu'il y vienne ! Non, mais qu'il y vienne le Aaaaaaaaaah !

Après toutes ces heures passées dans une semi-obscurité, nos yeux doivent s'accoutumer à cette lumière vive ; son effet est décuplé par la blancheur du sable. De plus, un soleil éblouissant nous empêche de découvrir, pour l'instant, l'origine de ce cri.

— Où sommes-nous, Billy Stuart ? demande Foxy.

Si on m'avait donné une pièce d'or chaque fois que cette question-là m'avait été posée par l'un de mes amis, je serais très Riche aujourd'hui.

— Je l'ignore, Foxy.

Si je devais remettre une PIÈCE d'OR chaque fois que j'offre cette réponse à l'un des amis, je serais très pauvre aujourd'hui.

Je place ma main en visière.

— Une arène, dis-je.

Nous sommes au cœur d'une arène. Autour de nous, un **MUR** CⲄⲄCⲞⲖⲞⲄⲄⲞ avec une dizaine d'ouvertures, à égale distance l'une de l'autre. Peut-être arrive-t-on par l'une de ces portes?

Cette enceinte est naturelle. J'affirmerais que nous sommes au fond d'un ravin ou d'un ancien **volcan**…

Le TUMULTE est celui d'une foule, nombreuse et massée dans des gradins aménagés en plusieurs sections, au-dessus de l'arène.

Grand-père Virgile, où nous as-tu conduits?

CHAPiTRE 5

Hercule? Vous avez dit Hercule?

L'immense clameur s'est tue rapidement. Un silence, si pesant qu'il nous écrase, s'ensuit. Nous prenons conscience de la présence de cette **FOULE**.

Instinctivement, nous nous rapprochons, épaule contre épaule, dans un cercle face aux gradins. Pour briser la tension, je remue timidement la main.

— **Euh**... Bonjour, tout le monde…

C'est l'explosion !

Nous sommes assaillis par une barrière de **CRIS** hostiles. Le son tonitruant émis par ces centaines de spectateurs est agressant. Parmi cette cacophonie, on distingue un **HURLEMENT** à l'unisson :

— Recule ! Recule !

Muskie, près de moi, me dit :

— Pourquoi désirent-ils que l'on recule, Billy Stuart ? FrouFrou gronde et JAPPE.

Yéti s'emballe et il provoque des personnes parmi la foule.

— Toi ! Oui, toi ! Et toi ! Pas toi ! Ton voisin ! Le plus laid ! Qu'ils y viennent ! Non, mais qu'ils y viennent !

Un vieil homme trapu s'avance lentement vers nous en s'appuyant sur un long BÂTON recourbé. La belette, sans hésiter, veut se précipiter vers lui.

AH !
UN VOLONTAIRE !
QU'IL Y VIENNE !

Muskie le retient par le collet et Yéti dérape sur le sable. C'est mieux ainsi. On ne connaît pas les intentions de l'homme qui a des allures de ROI, avec son long manteau de couleur pourpre, sa couronne, sa prestance. Son visage, aux traits sévères, est carré avec de larges favoris plus gris que blancs. Le regard qu'il nous décoche est DÉDAIGNEUX.

L'individu lève les bras au ciel pour ramener le calme dans L'ENCEINTE. L'effet est immédiat. Il en impose, c'est certain.

VOUS ÊTES QUOI, FINALEMENT ? DES GRECS ?
DES ÉTRUSQUES ? DES GAULOIS ? DES...

DES GAULOIS !

LUI, LE RATON LAVEUR, C'EST ASTÉRIX.
SON CHIEN, C'EST IDÉFIX.

QUANT À OBÉLIX...

HÉ ! JE NE SUIS PAS GROSSE... JE SUIS SEULEMENT UN PEU ENVELOPPÉE.

Yéti, la belette, se croise les bras et boude.

— **HERCULE ?** Vous risquez de patienter longtemps, l'Ancien ! Il a dû découvrir que j'étais ici et il préfère se cacher, le lâche !

—C'est évident, la belette. Hercule doit **trembler** dans ses culottes, ironise Galopin.

Tarquin l'Ancien prend la foule à témoin.

— Peuples des douze cités du royaume de Tarquinia, vous n'êtes pas venus pour rien ! claironne-t-il. La mission de ces étrangers sera d'accomplir douze **TRAVAUX** en douze jours.

Les moqueries à notre égard fusent de partout. C'est dur, merci, pour notre estime.

MINUTE !

Douze travaux… La dernière note de mon grand-père Virgile dans son carnet : « Douze ouvertures pour autant de travaux ».

J'étudie le mur circulaire dans l'arène. Je compte le nombre de portes : **1-2-3-4-5-6-7-8-9-10-11-12**…

Douze! Douze ouvertures… Chacune doit mener à une tâche à exécuter. Une par jour! C'est TITANESQUE!

— Et si nous refusons, monsieur l'Ancien? lui dis-je avec un air de défi, même si je peux deviner sa réponse.

À son claquement de DOIGTS, douze soldats sautent dans l'arène, chacun armé d'une lourde épée.

— Qu'on leur tranche la tête! ordonne-t-il.

Tarquin l'Ancien se prend pour la reine de cœur dans *Alice au pays des merveilles*!

VOUS AVEZ PERDU LA TÊTE?

Je ne sais s'il a perdu la tête, ce type, mais nous, oui, si nous refusons sa mission. Les soldats manient leur épée, n'espérant que le signal de leur roi pour l'abattre sur nous.

— C'est assez TRANCHANT comme argument, commente Galopin.

Un seul regard aux Zintrépides et notre décision est prise.

— D'accord, dis-je à Tarquin l'Ancien. Nous allons faire vos douze TRAVAUX.

Les soldats baissent leurs armes. Ils ont l'air déçus. Pas nous !

Tarquin l'Ancien affiche un sourire malicieux.

— Douze ? Vous êtes très optimiste, Billy Stuart. Commencez donc par survivre à la première tâche…

Dans les gradins près de nous, un homme se lève. Il ressemble étrangement à Tarquin l'Ancien, mais en plus jeune. Lui aussi porte un long manteau pourpre.

Ô, TARQUIN L'ANCIEN, AVEC TOUT LE RESPECT QUE JE VOUE À VOTRE TITRE DE ZILATH MECH RASNAL, J'AIMERAIS VOUS SIGNIFIER QUE LES ÉTRANGERS ONT DÉJÀ RÉALISÉ UN PREMIER TRAVAIL : ILS ONT FRANCHI INDEMNES LA GROTTE DU CHIEN.

Zilath mech rasnal... Ne désespérez pas, l'explication du terme est un peu plus loin. Patience, donc.

L'annonce crée un **brouhaha** parmi l'assistance. De nouveau, Tarquin l'Ancien impose le silence.

— **Par Voltumna**, tu dis vrai, mon cousin Tarquin le Juste, convient-il.

Ah ! Deux cousins Tarquin ! La ressemblance physique n'est pas étonnante. Par contre, pour l'attitude, c'est le jour et la NUIT. Le visage de Tarquin le Juste dégage une aura de bonté et de justice. Pour ce qui est de l'Ancien…

Parmi la foule, je remarque la présence d'autres jumeaux-cousins Tarquin, un par section, toujours en évidence. Tous des chefs ? PROBABLEMENT. Seul leur comportement diffère. Galopin s'approche de moi :

TU AS VU ÇA, BILLY STUART ? SI TOUS CES TARQUIN AVAIENT LA PEAU BLEUE, CE SERAIT COMME DES SCHTROUMPFS... IL Y A LE GROGNON, LE GOURMAND, LE COSTAUD, LE...

De renommée mondiale, les Schtroumpfs ont été imaginés par le génial Peyo. L'artiste belge, de son véritable nom Pierre Culliford (1928-1992), a créé ces petits personnages bleus en 1958. On en compterait plus d'une centaine. Malgré de nombreuses recherches, j'ai été incapable d'en évaluer le nombre exact.

L'Ancien dirige l'extrémité de son bâton vers la **porte** de pierre, sous la section de Tarquin le Juste.

Son **BÂTON** vibre. Il émet des ondes qui frappent l'ouverture, causant un effondrement de **PIERRES**. En quelques secondes, la porte est murée.

SANS BLAGUE

CRISE D'IDENTITÉ

Depuis quelque temps, Billy Stuart ne se sent pas très bien. Sur les conseils de son amie Foxy, il décide de consulter un thérapeute.

— Je ne sais pas ce qui m'arrive, docteur, à force de m'occuper du chien de mes voisins, les MacTerring, j'ai parfois l'impression de me prendre pour lui.

— Allongez-vous sur le divan et racontez-moi ça ! dit le thérapeute.

— Ça ne va pas être possible, docteur. Ce sale cabot n'a pas le droit de monter sur les divans.

En route !

DOUZE travaux. **DOUZE** portes ou ouvertures. **DOUZE** cités. **DOUZE** rois, qui ont établi les tâches à effectuer. Quant à Tarquin l'Ancien, c'est le grand patron du royaume de Tarquinia, le *zilath mech rasnal*.

Chacune des ouvertures dans le **MUR** CꞓꞀCUꞀQꞀꞀꝊ de l'arène conduit au travail à faire. Il est important d'y aller dans l'ordre.

Avec son tempérament impulsif, Yéti, la belette, a voulu débuter par la fin, par la douzième porte. Il a heurté un **rempart invisible** qui l'a empêché de pénétrer dans l'ouverture. Lorsqu'il a cherché à insister – l'entêtement de Yéti est légendaire –, il a été **brutalement repoussé** par une force inconnue. La belette s'est retrouvée cul par-dessus tête dans le sable, à la grande joie du public.

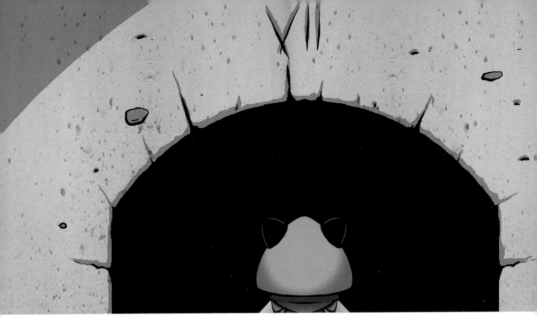

En passant sous la porte, je remarque une inscription gravée dans la **PIERRE** au-dessus de l'arche. C'est un Y dont la base se prolonge et qui pourrait être confondu avec un X... La marque de Virgile, mon grand-père! Et, à côté de cette signature que l'on recherche depuis le début de notre voyage dans le temps, il a ajouté deux **BARRES VERTICALES**.

Une fois l'ouverture franchie, la porte est murée, par magie, derrière nous. Tout retour nous est impossible pour l'instant.

Ce qui ne trouble nullement Bouki-Nos, TORCHE à la main, qui mène le groupe. Il est sérieux, le gars. Il ne s'adresse à nous que pour répondre à nos questions. Et **de façon assez brève**, ainsi qu'en témoignent les échanges suivants :

Moi : Quel est notre travail ?

Lui : Vous verrez…

Moi : On a le droit de le savoir, non ?

Lui : Non.

Moi : Et si on échoue ?

Lui : Vous serez emmurés…

Ça parle aux millions d'écrevisses de la rivière Bulstrode !

Ouaf ! Ouaf ! Ouaf !

Le caniche nous rappelle qu'il est là, lui aussi.

Je chuchote à Bouki-Nos :

— Si on s'acquitte de la tâche, est-il possible quand même d'emmurer quelqu'un ? Tel un SACRIFICE à vos dieux pour ne pas les froisser ? J'aurais un candidat à vous proposer…

— Non, dit le scribe.

— Franchement, Billy Stuart ! rouspète Foxy.

Nous émergeons à la lumière, accueillis par le bruit des vagues qui se brisent sur le rivage.

Le deuxième travail

La porte que nous avons empruntée est l'équivalent d'une ████ ████ ████ ████. D'abord, il n'y a pas de retour en arrière, tant que le travail n'a pas été couronné de succès. Et surtout, on va d'un lieu à l'autre.

Si vous êtes des admirateurs de la série *Harry Potter*, écrite par J. K. Rowling, vous ferez aussi le lien avec le réseau des cheminées, qui transporte ailleurs Harry et ses amis. Magie! Les Zintrépides n'ont, toutefois, pas besoin de poudre de cheminette. On peut en déduire, à ce stade-ci de l'histoire, que les douze portes sont autant de voies de passage pour les douze travaux.

C'est ainsi qu'en quelques minutes seulement, nous passons du SABLE de l'arène à celui de… la plage! Quant à la porte, elle se referme sur elle-même, pliée en deux par on ne sait trop quel phénomène, puis en quatre, puis encore et encore jusqu'à disparaître.

La scène, avec fond de mer jusqu'à l'horizon, n'a rien d'idyllique. Le rivage est jonché de débris, D'ALGUES mortes, de BRANCHES d'arbres cassées…

— C'est ici votre deuxième travail, explique Bouki-Nos.

Pour la première fois, notre guide a aligné plus de trois mots dans une seule phrase. Il s'agit peut-être de son premier travail à lui !

Nous avançons vers la mer, à moins d'une dizaine de mètres du rivage.

— Arrêtez ! ordonne le scribe.

Nous obéissons, contrairement à Yéti. La belette n'en fait qu'à sa tête et décide de poursuivre.

La plage, en pente douce jusqu'ici, coupe abruptement à un pas d'où nous sommes. Il doit y avoir trois mètres de fond. Mais l'eau est SI CLAIRE et SI PURE qu'on en voit tous les détails avec netteté.

Je viens de découvrir l'épreuve qui nous attend. Plus bas repose une **GROSSE** HUÎTRE. La partie supérieure de sa coquille est ouverte et montre une perle qui mire les rayons du soleil.

Bouki-Nos nous révèle que notre deuxième tâche est d'aller cueillir cette perle pour la reine de la cité de Populonia.

Une perle est issue d'un grain de sable qui s'est retrouvé dans un coquillage. Pour se défendre de cette menace, l'huître produit de la nacre, une substance qui enveloppe l'envahisseur, couche après couche. Au bout d'un certain temps, le résultat va donner une perle.

Elle dit vrai. Malgré tout, cette coquille ouverte, cette PERLE qui ne demande qu'à être cueillie, ça me paraît trop facile.

Je frappe dans mes mains pour attirer l'attention du caniche.

— **Eh, le chien !** Ça te dirait, une baignade ?

La queue du cabot fait du cent à la seconde.

La renarde proteste aussitôt.

— Franchement, Billy Stuart ! Mon beau FrouFrou *d'amour chéri* que je t'aime peut nager à la surface, mais pas en profondeur. Ça, c'est TON travail.

Agacé, je hausse les épaules.

— Il aurait pu y aller en nageant, le petit chien…

Sans écouter la réplique de Foxy, je plonge. L'eau est fraîche, claire, agréable. Des bancs de **POISSONS**, de diverses couleurs, fuient à mon passage.

J'atteins mon but sans encombre. Un jeu d'enfant.

Quand j'étais en dehors de l'eau, l'huître me semblait GROSSE. À moins d'un mètre d'elle, je constate qu'elle est vraiment imposante, beaucoup plus que je ne l'avais estimé au départ. Elle est de la taille du

BUREAU de mon enseignante, madame Gabaldon, à l'école de Cavendish.

Quant à la PERLE, elle est de la grosseur d'un ballon de plage.

Foxy, Muskie, Galopin et Yéti unissent leurs efforts en tentant de tirer la partie supérieure de la COQUILLE vers le haut. En vain.

Je n'en peux plus. D'ici quelques secondes, j'aurai le réflexe de vouloir respirer, j'avalerai de l'eau et c'en sera fini pour moi.

FOXY !

Foxy nage vers moi ! Elle a dû lire la détresse dans mon visage. Ce sera ma dernière vision de ce monde.

La renarde plaque sa bouche contre la mienne. Un baiser d'adieu ? Même pas ! Elle recouvre mon museau de sa main et souffle son air dans ma bouche. Puis, elle remonte.

Quoi ? Ma… ma main est libre ?

Je ne réfléchis pas au pourquoi du comment. Je file jusqu'à la surface.

Surtout, ne pas respirer avant d'émerger. Ce serait trop bête.

Je suis VIVANT !

Je prends une grande bouffée d'air et… un coup de langue de FrouFrou. *Pouah!* Quel sale retour à la vie!

L'air me brûle la poitrine. J'opte pour de courtes respirations, comme si je cherchais à récupérer toutes celles perdues au fond de l'eau. En cinq brasses, mes pieds touchent le fond de SABLE. Je suis fourbu… et découragé.

Ma tentative de cueillir la perle a été un échec total. Sans l'aide inespérée de la renarde, je serais mort noyé là-dessous.

— Ça te ferait une belle *bague* pour tes fiançailles avec Foxy, convient le caméléon, suscitant rires et malaises parmi les Zintrépides.

Je riposte **mollement** sans oser regarder la renarde, assise près de moi.

— C'est n'importe quoi, Galopin!

— On vous a vus faire bisou-bisou, là-dessous, continue-t-il en rigolant.

— *Bisou-bisouuuuuuuuuuu!* fait Muskie.

Au tour de Foxy d'être irritée :

— Je lui ai donné de l'air pour qu'il puisse respirer, pas vrai, Billy Stuart?

Embarrassé, j'approuve d'un hochement de tête.

— Le bisou-bisou de ta vie, Billy Stuart! insinue Yéti.

AAAAAARGH! Il serait préférable de changer de sujet de conversation. La perle!

— Elle… elle n'est pas lustrée. Vous voyez les taches sombres à sa surface? Il faudrait la nettoyer avant de la céder à la reine de Populonia.

Bouki-Nos sent le besoin d'intervenir.

— Le travail était de cueillir la perle, pas de la polir.

— Ouais, enchaîne le caméléon. Ce serait impoli de la polir, bande de polissons ! Je vais appeler la **POLICE** !

À mes yeux, la perle ne constitue pas un trésor. Pour moi, un trésor, c'est une écrevisse en chocolat. Miam ! Miam ! J'ai seulement hâte de rentrer à Cavendish, pour me gaver d'écrevisses en chocolat.

Le seul souvenir rattaché à cette PERLE MAUDITE, c'est que j'ai failli y laisser ma peau de raton laveur. Heureusement, il y a eu Foxy…

— Merci, dis-je à la ronde, d'être venus à ma rescousse.

Tous les regards se portent vers le scribe.

— C'est lui que tu dois **remercier**, Billy Stuart, corrige Foxy.

Tandis que Bouki-Nos met de l'ordre dans ses notes, Muskie raconte.

— Dès que L'HUÎTRE s'est refermée sur ta main, Billy Stuart, nous avons plongé. Mais il nous était impossible de te libérer de la coquille.

Yéti bougonne.

— J'y serais arrivé si on m'en avait laissé le temps, prétend-il.

La mouffette poursuit son récit :

— Pendant que Foxy et toi faisiez bisou-bisou, Bouki-Nos nous a rejoints, avec un bâton.

Je me doute de la suite : le scribe s'en est servi comme d'un levier pour forcer l'ouverture de la **coquille**. Muskie en a profité pour s'emparer de la perle.

— Bons *réflexes*, Muskie, lui dis-je. Et merci, Bouki-Nos ! Mais pourquoi nous avoir donné ce coup de pouce ?

Le scribe ne lève pas les yeux de son parchemin.

NOUS SOMMES DANS LE MÊME BATEAU, BILLY STUART. SI VOUS AVIEZ ÉCHOUÉ, J'ÉTAIS EMMURÉ AVEC VOUS.

Ça parle aux millions d'écrevisses de la rivière Bulstrode! Son *destin* est lié au nôtre!

Soudain, derrière nous, en haut de la pente qui mène au rivage, une ouverture vient d'apparaître, sortant de nulle part.

— **LA PORTE DU RETOUR**, dit Bouki-Nos.

La marque de Virgile

Les gens de Populonia sont surpris de nous voir surgir de cette ouverture, signe que nous avons réussi notre deuxième mission. Malgré tout, ils nous réservent de chaleureux applaudissements. Tarquin l'Ancien est lui aussi étonné.

Nous sommes invités à une *réception* pour célébrer notre exploit. De par sa position de chef des douze cités de Tarquinia, l'Ancien doit écouter le récit de notre *AVENTURE*, tel que narré par le scribe Bouki-Nos.

Notre guide, et nouvel allié, demeure fort discret quant à sa contribution à notre succès. Il attribue l'idée du levier avec le bâton à Yéti, la belette, qui n'en attend pas moins.

Après une bonne NUIT DE SOMMEIL, l'arène de sable nous appelle. Le temps est doux avec de rares nuages dans le ciel. Parmi la foule, des spectateurs scandent:

— TROIS! TROIS! TROIS!

À la parole, ils joignent le geste: l'index, le majeur et l'auriculaire levés.

On peut voir dans ce salut un clin d'œil, involontaire, au salut scout. Le pouce replié sur le petit doigt évoque l'engagement chevaleresque: le fort protège le petit. Les trois doigts levés symbolisent les trois engagements: être loyal, servir son prochain, observer la loi scoute. Les Zintrépides, on le sait, font partie du mouvement scout de la région de Cavendish.

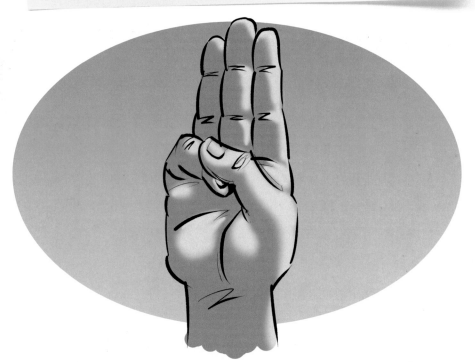

Dans la section des gradins au-dessus de la troisième ouverture, les représentants de Méliponia ont le visage peint de lignes jaunes et noires. Quant au roi, Tarquin le Gourmand, il est trop occupé à manger pour nous saluer.

Les deux premières portes désormais MURÉES, nous nous dirigeons vers la troisième ouverture. Les cris « TROIS ! TROIS ! TROIS ! » ont fait place à un son : « Bizzz… »

Ce qui vaut à notre Galopin sa première blague de la journée :

C'EST TRÈS BIZZZARRE...

Avant de nous engouffrer dans l'ouverture pour le troisième travail, je repère la marque de mon grand-père au-dessus de l'arche : son Y, suivi de trois barres verticales.

Et nous chantons l'hymne des Zintrépides. On ne brisera pas notre chance.

La troupe, menée par Bouki-Nos, progresse rapidement dans cette galerie aux parois lisses et uniformes, sans stalagmite ni stalactite, ce qui est plutôt étrange. À croire qu'un ver gigantesque l'a creusée dernièrement.

Je partage ma réflexion avec mes amis.

— Et si c'était ça, notre troisième travail ? note Foxy.

— Un ver géant à capturer pour une partie de pêche royale ? s'amuse Galopin. Imaginez la taille de l'hameçon…

— Moi, je craindrais plus la taille du poisson ! dit Muskie.

— Un ver géant ? s'écrie Yéti. Qu'il y vienne ! Non, mais qu'il y vienne, le lombric !

Au fur et à mesure que nous approchons de l'issue, j'ai la sensation que mes oreilles BOURDONNENT. J'avale ma salive, pensant ainsi me débarrasser de ce malaise passager.

GLOUP !

Non, rien à faire.

Lorsque nous sortons de la galerie, je comprends que le bruit n'était pas que dans ma tête.

Des milliers et des milliers d'abeilles s'activent dans un magnifique champ de FLEURS sauvages qui s'étend devant nous.

L'écrevisse en Chocolat

Peux-tu dire quel est le numéro de la case où se trouve l'écrevisse en chocolat de Billy Stuart ?

16   06   68   88      98

Solution à la page 158

CHAPITRE 10

Le troisième travail

Peu importe ce genre de mission, cette fois-ci, je ne serai pas volontaire. Je crains les piqûres *d'abeille*, de guêpes ou de frelons… Plus jeune, j'ai posé le pied sur un nid de **GUÊPES** lors d'une promenade dans la forêt des Kanuks. J'ai été aussitôt attaqué par des dizaines de guêpes.

> Contrairement aux abeilles, qui meurent après avoir piqué, les guêpes peuvent le faire plusieurs fois sans danger… pour elles. Amusante coïncidence : la journée même où j'écrivais ces lignes, je recevais par la poste la version en couleurs du *Savais-tu ? - Les Guêpes*...

J'ai réussi à y échapper en plongeant dans la rivière Bulstrode. J'y suis demeuré de ~~longues~~ minutes ainsi, à espérer leur départ. En même temps, la fraîcheur de l'eau atténuait la douleur provoquée par les piqûres qui couvraient mon corps.

Je n'ai jamais oublié cette terrible expérience.

BiZZZ ... BiZZZ ...

Je revois mentalement les gens de Méliponia, le visage peint en noir et en jaune, et faisant des « Bizzz » pour marquer notre départ. Tout cela constituait autant d'indices de la menace qui planait sur nous.

— Je vous suggère de ne pas faire de *MOUVEMENTS BRUSQUES*, nous avertit Bouki-Nos.

Le scribe hausse le ton pour couvrir le « Bizzz » de la colonie.

— Votre troisième travail consiste à cueillir le miel du ciel, produit par ces abeilles. Le **MIEL** sera destiné au roi pour sa collation, et à la reine Barathée pour son masque de beauté.

— C'est qu'elle aime le miel, Barathée, remarque Galopin, avec justesse.

La troisième porte se transforme en des centaines de **papillons** qui vont butiner les fleurs.

— Ces abeilles ne piquent pas, indique le scribe, car elles n'ont pas de dard.

BiZZZ... BiZZZ...

Nous nous détendons. Ce sera ainsi moins pénible d'aller chercher le miel du ciel.

MAIS ELLES MORDENT.

ÇA PARAISSAIT TROP FACILE AUSSI...

Je sais comment faire. Nous devons d'abord localiser la ruche dans ce champ, puis identifier la reine. On la déplace – la reine, pas la ruche!–, et les abeilles suivront docilement. Nous pourrons, à ce moment, recueillir le miel et nous en aller. C'est simple, non ?

Un de ses oncles est apiculteur et notre amie aime lui prêter main-forte quand vient le temps de la récolte du miel.

Un apiculteur est un éleveur d'abeilles. L'origine de cette activité remonte à l'Antiquité.

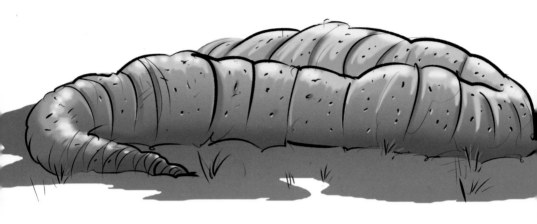

La mouffette guide notre regard vers la droite, à environ deux cents mètres : une portion sinueuse du champ est écrasée par une **masse brunâtre**. Le parfum ambiant de ces milliers de fleurs masque l'odeur de la **carcasse répugnante** d'un ver géant – vraisemblablement celui qui a creusé la galerie qui nous a conduits jusqu'ici.

Le pauvre ver a été **assailli** et **TUÉ** par ces abeilles meurtrières. C'est le sort qui nous attend si nous ne faisons pas preuve de prudence… et de lenteur.

— Moi ! La lenteur, c'est mon rayon ! s'exclame Galopin.

Nous avançons à pas comptés dans le champ de fleurs. Je calme mon envie de déguerpir en hurlant d'épouvante, avec toutes ces abeilles qui voltigent autour de nous.

Il ne faut pas écarter de manière trop soudaine les FLEURS sinon les abeilles deviendront agressives. Muskie a le sourire au visage. Elle est dans son élément. Elle se penche même pour caresser le dos d'une abeille – une ouvrière, spécifie-t-elle – en plein travail.

— La ruche ! DROIT DEVANT ! signale la mouffette en se redressant.

Elle ressemble à une gigantesque brioche danoise à la cannelle.

Le bourdonnement est de plus en plus intense, et j'ai envie d'appuyer sur le bouton panique !

BIZZZ ... BIZZZ ...

Qu'aurait fait Hercule ? Ici, ce n'est pas une question de force brute, mais de doigté.

— Arrêtons-nous ici, propose Muskie.

Nous sommes à une vingtaine de mètres de la ruche.

— **À moi de jouer**, annonce Galopin. Je vais chercher la reine pour l'amener plus loin…

Le caméléon fait deux pas et recule de un.

— Ça risque d'être très long si tu continues ainsi, souligne Foxy.

— C'est pour mieux repartir, répond Galopin. Dis donc, Muskie, elle ressemble à quoi, la reine ?

— C'est celle avec le plus L̲o̲n̲g̲ et le plus **GROS** abdomen. Elle se cache au cœur de la ruche.

Prise 2 : le caméléon fait deux pas et recule de un.

— Ça risque d'être très long si tu continues ainsi, observe encore Foxy.

— C'est pour mieux repartir, répond toujours Galopin. Dis donc, Muskie, ça ressemble à quoi, un abdomen ?

Le caméléon disparaît parmi le tapis de FLEURS pour se rendre à la ruche.

Il est vraiment courageux, notre ami reptile. Au bout d'un TEMPS indéterminé, Galopin resurgit à proximité de sa cible. Ses gestes sont d'une lenteur calculée.

Sa longue queue se dirige vers le centre de la RUCHE, là où doit se trouver, en principe, la reine. Le caméléon veut sans doute la déloger *doucement*. Sa queue farfouille dans la région centrale de la « brioche ». Puis, elle se retire. Galopin a-t-il réussi ?

BIZZZ... BIZZZ...

Oui, puisque le caméléon s'éloigne de nous, suivi par des milliers d'abeilles! Celles-ci tendent à demeurer avec leur reine.

Un nuage **BOURDONNANT** d'abeilles accompagne notre ami et flotte au-dessus de sa tête. Ses nerfs sont plus solides que les miens. J'aurais perdu mon **SANG-FROID** dès la première seconde.

Sans nous dépêcher, nous progressons vers la ruche, tout en guettant la réaction des abeilles. Celles-ci continuent de suivre **DOCILEMENT** le caméléon et la reine.

Notre groupe arrivé à la ruche, je reste en retrait.

— Je… je surveille les abeilles et vous récoltez le miel?

Foxy, Muskie et Yéti dénichent des réserves dans la ruche : des rayons *dégoulinants* de miel du ciel que les trois Zintrépides extraient de certaines sections.

CE SERAIT EXAGÉRÉ DE TOUT PRENDRE.

C'EST TRÈS BON...

ON ACCÉLÈRE UN PEU ?

C'EST POUR REMPLACER CELUI QUE JE VIENS DE MANGER.

— Les abeilles n'ont pas d'oreilles, Billy Stuart, pas vrai, Muskie ? **HURLE** Galopin.

La mouffette se rend très lentement auprès de son ami.

— Tu me la prêtes ?

Muskie prend la reine et la dépose sur son bras. Immédiatement, les abeilles la suivent et se pressent sur le bras et les épaules de la mouffette. Le **NUAGE** au-dessus du caméléon traverse du côté de Muskie.

C'est fascinant à admirer… de loin !

BIZZZ... BIZZZ...

La mouffette, presque à regret, demande à Galopin de replacer la reine à sa position initiale. Les abeilles la rejoignent en toute hâte.

— Notre tâche est terminée, dis-je à Galopin et à Muskie. On s'en retourne.

J'obtiens l'accord de Bouki-Nos. À l'instant même, les centaines de **papillons** quittent les **FLEURS** pour revenir former une porte à quelques mètres de nous. Muskie, FrouFrou, Foxy et Galopin s'y engouffrent.

Où est la belette ?

Bizzz... Bizzz...

La ruche ! Non !

— Yéti ! Ne fais pas ça !

Il est en train de voler un nouveau **RAYON DE MIEL** !
Son larcin commis, il agite les bras dans les airs pour se
protéger des morsures des abeilles qui le harcèlent.

La belette, oubliant les recommandations d'usage, gesticule, ce qui excite encore plus les abeilles et les incite à l'attaquer. Elles sont déterminées à chasser cet ENVAHISSEUR à fourrure.

— Qu'elles y viennent ! Non, mais qu'elles y viennent, les *zaele* !

Il est aussitôt recouvert d'abeilles, des pieds à la tête. C'est horrible à voir. Il n'y a pas de plan d'eau où la belette pourrait se réfugier. Je me sens si démuni.

— Ici ! Yéti !

BiZZZ... BiZZZ...

J'essaie de le guider, mais c'est inutile: le bourdonnement de ces milliers d'insectes couvre ma voix.

Yéti est à cinq mètres de moi et de la porte. Tant pis pour mes craintes. Les autres étant engagés dans le **couloir** du retour, je n'ai plus le choix.

Je ne réfléchis pas et je cours jusqu'à Yéti en hurlant pour me donner du courage et pour faire peur aux abeilles.

BiZZZ... BiZZZ...

Idée stupide sur les deux fronts. D'abord, foncer la bouche ouverte sur un essaim d'abeilles, c'est comme marcher dans une tempête de **NEIGE**... c'est s'assurer d'en avaler beaucoup à la fois! Ensuite, les abeilles, on l'a dit, n'ont pas d'oreilles. Mais c'était plus pour avertir Yéti de ma présence.

Tout en subissant des dizaines de morsures, je saisis le bras de la belette et je l'entraîne vers la **porte** où m'attend toujours Bouki-Nos.

— L'ouverture se referme ! **VITE** ! s'écrie le scribe.

La porte n'est plus qu'à la moitié de sa taille normale. Et les abeilles qui me tourmentent sans cesse… Avec ma main, je cherche à protéger mes yeux pour ne pas manquer l'ouverture.

BIZZZ... BIZZZ...

Si je la rate, c'en est fini pour nous ! Cette éventualité me procure une ultime **dose d'énergie**. D'un bras, je tiens Yéti contre moi. Il est inconscient. Je tends l'autre devant moi et je m'élance comme si j'étais un demi offensif au football canadien et que je voulais tasser mes adversaires.

Je file droit vers la porte qui rapetisse à vue d'œil.

BIZZZ... BIZZZ...

J'ai mal partout et… je rage !

— **NOOON** ! Pas sous le kilt !

Réflexe idiot de ma part. Des abeilles en profitent pour s'inviter encore dans ma bouche et me mordre la langue

et l'intérieur des joues. Tant pis pour elles : je les croque !
BEURK !

Chacune de mes enjambées soulève un nouveau bataillon d'**ENNEMIS**. L'ouverture est réduite à la taille d'une boîte carrée, telle une chatière dans le bas d'une **porte** d'entrée de maison.

Et je roule… sur du sable.

L'attaque des abeilles a cessé. J'ai la sensation que mon visage et mon corps sont bouffis par les morsures.

BiZZZ...

De façon instinctive, je rentre la tête dans les épaules. Pour absolument rien... Je reconnais ces « Bizzz ». Ils ne

sont pas le produit d'un essaim *d'abeilles* dévoreuses de Billy Stuart. Ces « Bizzz » sont ceux du peuple de Méliponia, les hommes aux visages peints en noir et en jaune.

Je me relève non sans peine et je retrouve les Zintrépides et Bouki-Nos dans l'arène. Yéti ouvre les yeux et rigole.

— Hi! Hi! Hi! Ça chatouille pas mal, hein, Billy Stuart?

Tarquin l'Ancien a maintenant les rayons de miel entre les mains. Mais il a un problème plus URGENT à régler.

— Par Voltumna! hurle-t-il.

Une vingtaine d'abeilles ont pénétré par l'ouverture en même temps que Yéti et moi. Elles fondent sur Tarquin l'Ancien qui tente de les repousser en bougeant les bras et en courant partout.

— La *lenteur*, ce n'est pas son truc, commente *Galopin*.

L'effet est apaisant ; la douleur et les enflures s'estompent.

Au bout d'une heure environ, nous allons rejoindre nos amis dans la *salle de réception*, pour partager un repas avec nos hôtes, et écouter la suite du récit de Bouki-Nos.

Quelle scène inusitée ! Le scribe est debout, à lire le compte rendu de notre **TROISIÈME** travail au roi Tarquin le Gourmand, qui, lui, dort…

D'où le proverbe : qui dort dîne !

Il ne fait pas BIZZZ, mais… ZZZZ.

Le scribe a ordre de continuer son récit jusqu'au bout, peu importe si le roi écoute ou pas. Si Bouki-Nos fait une pause, cela réveille le ROI qui maugrée. Le scribe reprend alors, et le roi se rendort. La reine Barathée est à ses côtés, couchée sur le dos, le visage enduit de miel…

Oui, très BIZZZarre !

Le lendemin matin, on nous emmène dans l'arène. Tarquin l'Ancien s'est levé du mauvais pied. Ou il est mécontent que nous soyons vivants et encore devant lui après trois travaux. Ou bien il bougonne parce que les MORSURES d'abeilles – toujours visibles ; il a le visage enflé – le font encore souffrir.

— Dépêchez-vous ! grogne-t-il.

— Non, mais quelle mouche vous a piqué, l'Ancien ? demande Muskie.

— Pas piqué… mordu ! corrige Galopin.

Yéti en rajoute :

— On est ravis d'avoir mis du **piquant** dans votre journée d'hier.

Et Foxy :

— Moi, je dirais que sa journée n'a pas manqué de mordant !

Tarquin l'Ancien a refusé les traitements des bains qui aurait apaisé les effets désagréables causés par l'agression des abeilles.

PAR VOLTUMNA, LE QUATRIÈME DÉFI EST CELUI DE LA CITÉ DE VÉIES.

Ce signe des doigts en V est universel. Pendant la Seconde Guerre mondiale, il symbolisait la victoire sur les nazis. Il s'est répandu parmi les plus jeunes dans les années soixante avec le phénomène du Flower Power, pour exprimer la paix.

Au salut des spectateurs de Véies, nous répondons de la même manière tandis que nous quittons l'arène pour notre QUATRIÈME TRAVAIL, en chantant l'hymne des Zintrépides. Après tout, ça nous a porté chance les premières fois.

« *Nous marchons tous…* »

De nouveau, j'aperçois au-dessus de l'arche de la porte la marque de mon grand-père Virgile, suivie de quatre TRAITS VERTICAUX.

Précédés du scribe Bouki-Nos, nous franchissons l'ouverture.

Quinze minutes plus tard, nous sommes à flanc de colline. Une fois la porte passée, celle-ci EXPLOSE en mille morceaux.

L'endroit qui s'offre à notre regard est désertique, sans aucune VÉGÉTATION. Autour de nous, la plaine ondule à perte de vue. J'interroge Bouki-Nos.

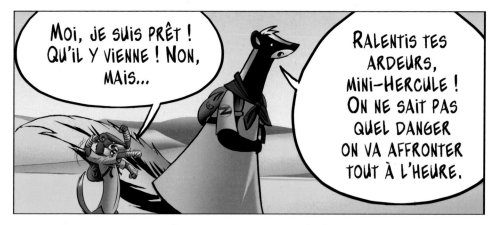

Nous scrutons les environs, mais il n'y a aucune menace potentielle.

C'est le calme plat.

Ouaf! Ouaf! Ouaf!

Le chien s'est éloigné de nous pour aller boire de l'eau dans un creux du sol, un peu plus gros qu'une piscine pour enfants. Il se met à gronder, ce qui alerte Foxy.

— Qu'y a-t-il, mon beau FrouFrou *d'amour chéri* que je t'aime?

La renarde s'approche de lui. Elle jette un coup d'œil vers l'eau.

— *OH!* fait-elle.

CHAPITRE 13

Le quatrième travail

Qu'a vu Foxy pour pousser ce… «Oh!»?

Nous allons la rejoindre.

— Oh! faisons-nous à notre tour.

Son «Oh!» était de toute évidence justifié.

Dans l'eau, un SCORPION NOIR surnage et essaie avec peine de sortir, mais les parois sont trop abruptes et lisses pour lui offrir un appui quelconque. L'eau est peu profonde pour nous, mais trop pour lui.

— Il est en train de se noyer, grimace la renarde.

— Quelqu'un a-t-il envie de lui faire la respiration artificielle? lance Muskie.

— Foxy a l'expérience du bisou-bisou avec Billy Stuart! taquine Galopin.

J'entraîne les autres à ma suite.

— Allez, troupe ! On continue ! Il y a ce travail qui nous attend.

Les Zintrépides emboîtent le pas, à l'exception du chien FrouFrou, qui ne quitte pas Foxy d'une semelle. La renarde surveille les agissements du scorpion qui patauge et qui essaie de sauver sa PEAU d'invertébré. Toutes ses tentatives sont vouées à l'échec.

Je reviens vers Foxy et je lui prends le bras.

— On a perdu amplement de temps…

Elle se dégage sèchement.

— Je ne vais pas rester là à regarder cette pauvre chose se noyer sans rien faire, Billy Stuart !

Je reconnais là l'empathie de notre amie Foxy pour toutes les créatures vivantes, fussent-elles aussi repoussantes qu'un scorpion noir ou un caniche blanc.

Elle me tourne le dos pour clore notre discussion et sauver le scorpion.

Sans hésiter et sans prendre de **précautions**, elle tire la petite bête hors de l'eau. Et que fait l'ingrat scorpion pour la remercier? Il la pique à la main! Non, mais quelle gratitude!

— **Aïe!** fait Foxy en gémissant de douleur.

La piqûre du scorpion est l'une des plus douloureuses du monde animal. Toutefois, il convient de préciser que le scorpion ne pique avec son dard que pour se protéger.

La renarde en échappe le scorpion qui retombe à l'eau.

PLOUP!

— Désolée! s'excuse-t-elle.

J'ai un conseil pour Foxy:

— Et si tu laissais le SCORPION grimper sur le dos de FrouFrou?

— Franchement, Billy Stuart! maugrée-t-elle.

Elle secoue la main pour en chasser la douleur.

Foxy crispe la **MÂCHOIRE** et répète son manège avec des résultats identiques.

— Tu es vraiment têtue! lui dis-je.

Elle ne lâchera pas prise tant que le scorpion ne sera pas hors de **DANGER ⚠**. Son acharnement trouble son amie Muskie.

C'EST DANS LA NATURE DU SCORPION DE PIQUER POUR SE DÉFENDRE...

ET C'EST DANS LA MIENNE DE L'AIDER.

Foxy réfléchit. Elle demande à Bouki-Nos de lui prêter son **parchemin**. Le scribe le lui confie de bonne grâce. Pour la troisième fois, la renarde se penche sur le scorpion, qui paraît aux limites de ses forces. Il emploie ses dernières énergies à demeurer à la surface de *l'eau*.

La main droite endolorie, Foxy se sert de la gauche pour tendre le parchemin. Le scorpion y grimpe tout en cherchant à la piquer. Mais mon amie a **prévu le coup** et se protège avec le parchemin.

Le scorpion en sécurité, elle se dépêche de le déposer sur la **TERRE FERME**, loin de la flaque d'eau. La bestiole s'enfuit aussi vite que peuvent la propulser ses pattes.

— Eh! Même pas un merci! dis-je, un brin sarcastique.

— Ce n'est pas dans sa nature, me rappelle Foxy, qui ne s'en formalise pas.

Au bout de quelques mètres, le scorpion se retourne vers sa bienfaitrice. Il hisse ses pinces vers le ciel. J'en reste bouche bée!

Foxy sourit.

Nous n'aurons pas à aller plus loin.

Une porte s'est recréée devant nous avec le rassemblement des **mille morceaux**...

Vous vous souvenez ? La porte avait éclaté en mille morceaux....

D'un geste, il nous invite à le suivre dans l'ouverture. Nous ne nous faisons pas prier.

Tout autre être que Foxy aurait passé son chemin et aurait abandonné le scorpion à son sort. Son grand cœur et son amour des bêtes n'ont pas seulement sauvé le scorpion, mais nous ont sauvés également.

Je m'interroge. Qu'aurait fait Hercule à notre place?

Un ennemi invisible

Hier soir, au banquet organisé en notre honneur à son palais, Tarquin le Pacifique, roi de Véies, a prié le scribe Bouki-Nos de livrer un récit très court de notre **QUATRIÈME** travail, car il était épuisé. Notre jeune ami a obéi :

— La renarde a sorti le scorpion de l'eau.

La **NUIT** a été trop courte. Au matin, on nous guide jusqu'à l'arène.

Les yeux mi-clos, je promène mon regard sur le mur circulaire dans l'arène. Les quatre premières **PORTES** sont désormais murées. Il nous reste encore huit tâches. Huit épreuves à traverser.

Allons-y une journée à la fois, cette fois-ci pour la cinquième **ouverture**, sous la section d'Arezzo, du roi Tarquin le Pessimiste. Celui-ci brandit son pouce vers nous, en le rabaissant au sol.

— Merci de l'encouragement, lui dis-je avec ironie.

Étrangement, dans la section voisine, celle de la ville de Cortona, le roi Tarquin l'Optimiste fait le signe contraire.

— Arezzo et Cortona sont des Villes jumelles, explique brièvement Bouki-Nos. Mais le caractère des rois est à l'opposé.

Tandis que nous passons la porte, je discerne, gravées dans la **PIERRE** au-dessus de l'arche, la marque de Virgile ainsi que cinq barres verticales.

Nous entonnons l'hymne des Zintrépides.

« *Nous marchons tous…* »

À peine empruntons-nous la galerie que nous en apercevons déjà la SORTIE. Au moins, nous ne gaspillerons pas nos énergies dans une longue randonnée.

Dix minutes suffisent pour déboucher à l'air libre. Le terrain est plat, immense, rare en arbres et dépourvu de VÉGÉTATION si on fait abstraction d'un jardin de hautes plantes inconnues, à notre droite. FrouFrou gambade pour aller y faire un tour et… ses besoins.

La porte qui nous a guidés jusqu'à ce lieu s'estompe, devient TRANSPARENTE pour s'effacer totalement. J'ai un pincement au cœur chaque fois que le phénomène se produit.

Nous nous regroupons autour de Bouki-Nos.

— Et alors? lui dis-je. Pas encore des abeilles, j'espère?

Il secoue la tête et lit les instructions sur le parchemin.

— L'un de vous devra attacher un collier au cou du lion Astrakane. Ce collier servira à avertir quiconque de sa présence.

RIEN DE COMPLIQUÉ.

BILLY STUART, À TOI DE T'EN OCCUPER.

POURQUOI MOI ?

PARCE QUE TU ES HABITUÉ À GLISSER LE COLLIER AU COU DE TON CHIEN.

CE N'EST PAS MON CHIEN, GALOPIN. ET J'AI L'INTUITION QUE CE NE SERA PAS AUSSI FACILE QUE ÇA.

Le scribe lève les yeux de son parchemin. Il se dirige d'un pas alerte vers un BUISSON. Il en sort une corde d'une longueur d'environ trois mètres à laquelle sont attachés des coquillages.

AAAARGH ! Le rappel du nom de ma compagne de cellule sur l'île de l'Atlantide n'évoque aucun bon souvenir. C'est qu'elle m'en a fait voir de toutes les *couleurs* pendant notre captivité.

IL Y A UN SEUL PROBLÈME : L'ANIMAL EST INVISIBLE...

CHAPiTRE 15

Le cinquième travail

En découvrant la teneur de notre cinquième travail, Foxy est découragée.

— **Franchement!** Attacher un collier autour du cou d'un lion, invisible en plus!

Le chien FrouFrou, sensible à sa détresse, se blottit contre la renarde pour la consoler en lui léchant la main.

BEURK!

— Eh! Où étais-tu toi, mon beau FrouFrou d'amour chéri que je t'aime?

Le caniche est recouvert de petites boules ÉPINEUSES collées sur son pelage.

— Des bardanes, là dans le jardin, explique Bouki-Nos. Ah, c'est ça, ces GRANDES plantes…

— Chez nous, à Cavendish, on appelle ça des pipiques, note Galopin.

Machinalement, Foxy entreprend d'enlever un à un ces trucs indésirables qui s'agrippent à la FOURRURE du chien. Je la laisse faire… C'est peut-être ça, après tout, le cinquième travail? FrouFrou me regarde, comme si j'allais lui donner un coup de main.

— Bien fait pour toi, le Chien! Ça t'apprendra à t'éloigner de nous!

— Franchement, Billy Stuart! grogne la renarde.

Contrariée, elle arrache un pipique et me le jette. Elle atteint sa cible: **mon kilt!**

— Franchement, Foxy! lui dis-je, frustré.

Galopin vient en aide à Foxy et à FrouFrou. Il retire deux pipiques, les colle ensemble et déclare fièrement:

— Eh, les gars! Je viens d'inventer le Velcro!

Le Velcro a été inventé en 1941 par un ingénieur suisse du nom de George de Mestral (1907-1990). Il a eu cette idée à la suite d'une promenade avec son chien. Des boules épineuses – des pipiques, selon Galopin – étaient accrochées à la fourrure de son chien. D'où… le Velcro.

JE CROIS QUE J'AI UN PLAN.

IL FAUDRAIT APPÂTER LE LION AVEC UNE PROIE, PAR EXEMPLE UNE CHÈVRE BLANCHE QUE L'ON ATTACHERAIT À UN POTEAU... COMME DANS LE FILM «LE PARC JURASSIQUE»...

ON N'A PAS DE CHÈVRE BLANCHE, BILLY STUART.

JE SAIS... MAIS ON A UN CANICHE BLANC ET...

FRANCHEMENT, BILLY STUART !

La belette est retenue par Muskie qui a tout prévu.

Un rugissement effroyable nous fait sursauter.

— Le lion! souffle Galopin. Quelque part devant nous...

Le problème avec un lion invisible, c'est qu'il s'agit d'un lion et qu'on ne le voit pas! De quelle manière parer l'attaque?

Yéti se défait de l'emprise de Muskie et court à l'endroit d'où semble provenir le RUGISSEMENT.

— Qu'il y vienne! Non, mais qu'il y vienne! Montre-toi, Garfield raté! Montre-t...

PAF !

Yéti est projeté au loin, à sa droite. On devine que le lion Astrakane lui a asséné une **SOLIDE TALOCHE**. Telle une balle de PING-PONG, la belette, une fois remise sur pattes, repart en direction de l'assaillant.

RE-PAF !

Cette fois-ci, Yéti est catapulté sur la ◀ GAUCHE . Le lion ne lui laisse pas le temps de récupérer. Il le saisit par le collet et le propulse dans les airs à plusieurs reprises.

— Le lion joue avec sa nourriture, analyse Galopin.

Le caméléon aurait pu aussi dire que le lion jongle avec sa nourriture. Le verbe aurait été approprié puisqu'il est question du lion, qui est *le roi de la jongle*... Celle-là, je la dédie à la mémoire de mon idole, René Goscinny (Astérix, Lucky Luke, etc.), grand amateur de calembours.

Galopin a raison. La **créature** risque de convertir son jeu en repas. S'il nous voyait, aussi désemparés, Tarquin l'Ancien rirait dans sa barbe.

Je sens une patte griffue contre ma jambe.

— **KAÏ! KAÏ! KAÏ!** se lamente FrouFrou.

Il reste des pipiques dans sa FOURRURE.

— Ce n'est pas le moment, le chien! lui dis-je sèchement. On n'a pas que ça à… à….

Une idée !

Oui !

— Foxy, lui dis-je en criant, occupe-toi de mon chien !

— Mais, Billy Stuart…, commence-t-elle.

Je m'élance vers le monstre.

D'abord, le rendre visible.

Des boules épineuses

Je dois, en priorité, sortir Yéti des griffes du lion invisible et ensuite attirer la bête dans le jardin.

— Ferme tes yeux si tu veux le voir, Billy Stuart! me conseille Galopin.

Quelques secondes me sont nécessaires pour que je décode ce curieux message du caméléon… Fermer les yeux pour voir le monstre?

Euh…

La lumière se fait dans mon esprit. Le lion est invisible. Je ne peux pas le voir. Mais l'entendre? Si! D'autant qu'il est massif et aussi subtil qu'un ÉLÉPHANT dans un magasin de porcelaine.

Je m'arrête à quelques mètres de lui. Il continue à s'amuser avec Yéti, le faisant rebondir dans les airs, pareil à un chat avec une BALLE DE LAINE. La belette est plus insultée que blessée.

— Montre-toi si tu n'as pas peur de moi, espèce de gros minou lâche ! s'enrage Yéti.

Je ferme les yeux et je m'écrie :

— Eh, le lion ! Je suis ici !

Le monstre me répond par un rugissement à faire dresser les poils sur tout mon corps. Il frappe rudement le sol pour ensuite s'ébranler dans ma direction.

PARFAIT ! Je le situe correctement et je rouvre les yeux pour fuir.

— Attrape-moi si tu es capable, Astrakane !

— Eeeeh ! hurle Yéti, qui est carrément abandonné par le lion. Je n'en avais pas terminé avec toi !

Le sol vibre derrière moi. C'est qu'elle est lourde, cette créature ! Et qu'elle se rapproche DANGEREUSEMENT ! Je bifurque à ma droite. Je sens quelque chose de gigantesque me frôler et ça n'a rien d'un courant d'air.

J'ai quelques secondes de répit. Le lion fait du surplace avant de se relancer à ma poursuite. C'est exactement ce que je souhaitais. Destination : le jardin des grandes bardanes, que j'atteins le premier.

Je le traverse dans le sens de la longueur, mais en zig za guant. Cette tactique m'a été d'un précieux secours par le passé avec le Minotaure et la déesse de la foudre.

Tout en courant, je protège, avec l'avant-bras, mes yeux des *pipiques* qui risquent de me blesser. L'inconvénient, c'est qu'ils s'attachent à mon pelage et à mes vêtements.

Le lion Astrakane est sur mes talons. Chacun de ses pas – et il a quatre pattes, faut-il le rappeler ? – fait trembler le sol. J'appréhende le coup de patte qui m'expédiera hors du jardin. De furieux mouvements d'air, dans mon dos, me confirment que c'est là son intention. Il effleure le bout de ma queue par deux fois, mais sans que cela ne ralentisse ma *course*.

À ce rythme, il me sera difficile de tenir encore longtemps. J'ai le souffle court et les jambes lourdes.

J'émerge enfin du jardin des grandes bardanes. Je suis dans un état pitoyable, recouvert de pipiques.

À son tour, le lion surgit du jardin qu'il a complètement saccagé. Je le vois maintenant à cause de la présence d'innombrables pipiques sur son corps ! Mon idée première était bonne. Pour la suite, on verra…

La bête est vraiment colossale. Plus que je le supposais. Toutefois, ainsi que je l'avais espéré, sa balade dans la culture de **BARDANES** a laissé des traces sur lui. Il n'est désormais plus invisible. Il doit avoir vidé le jardin de ces petites boules **ÉPINEUSES** tant son corps en est recouvert.

Cela me ramène à un film de science-fiction américain que j'avais vu, enfant : *Planète interdite*. Une mystérieuse force invisible attaque des hommes. Un tir groupé d'armes à rayons dévoile la silhouette fantomatique d'un lion gigantesque. Cette scène avait été marquante pour le garçon que j'étais. Si le film a été tourné en 1956, je ne l'ai vu que plusieurs années plus tard à la télévision (on peut même voir sur YouTube l'extrait dont il est question).

Rugissant, le monstre bondit. Je plonge en avant pour éviter **L'ATTAQUE**. Emporté par son élan, il roule sur lui-même dans un fracas du tonnerre.

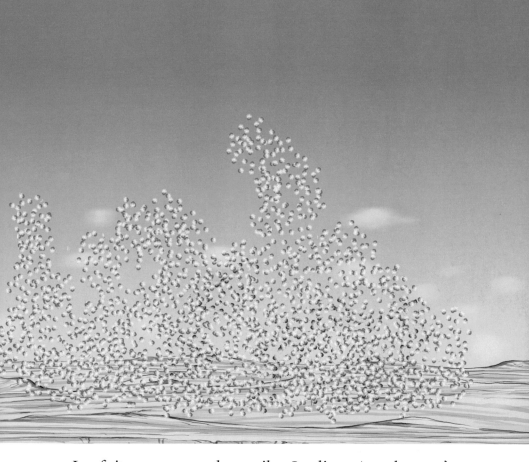

La fuite ne sera plus utile. Le lion Astrakane s'est transformé en un **gros minet piteux**. Il pousse des plaintes déchirantes. Bien qu'il se frotte contre le sol pour tenter de déloger les pipiques de sa **FOURRURE**, il ne parvient qu'à les enfoncer davantage dans sa peau.

Avec des boules PIQUANTES coincées dans ses sensibles coussinets, se tenir debout le fait souffrir. J'aurais pitié de lui si ce n'était pas de la réalité : quelques secondes plus tôt, il était prêt à me dévorer vivant.

Le lion finit par s'immobiliser dans une inconfortable position assise… et il gémit à fendre les âmes sensibles… comme celle de Foxy.

Il n'y a que la renarde au grand cœur pour manifester de la compassion à l'endroit de cette créature. Elle est visiblement touchée par le sort de la bête. Ben… et moi, alors ?

Foxy marche dans ma direction.

— Ah, merci, mon amie ! Ton aide ne sera pas de trop pour me débarrasser de toutes ces…

Elle ne m'écoute pas. La renarde me frôle sans me voir, comme si c'était moi qui étais devenu invisible, et se rend auprès du lion. Avec douceur et patience, elle lui retire une à une les boules épineuses prises dans sa fourrure. Docile, le lion apprécie cette séance de toilettage.

Muskie se hâte auprès de Foxy pour l'assister.

— Merci quand même ! leur dis-je, agacé.

Je reçois l'aide de Yéti et de Galopin. Bouki-Nos se charge, de son côté, d'ôter les derniers *pipiques* du pelage du caniche. Cela fait, nous rejoignons Foxy et Muskie pour mener à bien le BOULOT avec le lion.

Parfois, le lion Astrakane ne désire que jouer. Il assène une **TAPE SUR LA TÊTE** de Yéti qu'il assomme presque. Étourdie, la belette se relève et se rue vers la bête.

Pauvre Yéti! Il est si sonné qu'il **voit double**! Muskie **voit double** le retient par le collet.

— Eh, Muskie! Je ne savais pas que tu avais une sœur jumelle!

Galopin se penche à l'oreille de Yéti.

— Demande-lui si sa jumelle sent plus mauvais qu'elle…

Yéti est d'accord.

— Eh, Muskie! Est-ce que ta…

La mouffette lui coupe la parole en levant la queue.

— Oublie ça, la belette, sinon c'est le caméléon qui va en écoper!

Ça fait très curieux d'enlever les pipiques du lion et de ne rien voir en dessous. Pas de peau, pas de fourrure. Que du vide! Que de l'invisible! Ce qui m'amène à penser que si on enlève toutes les boules ÉPINEUSES, on n'aura plus aucun repère pour cerner le monstre.

— Tandis que nous pouvons encore voir sa tête, je suggère qu'on lui enfile le collier de coquillages autour du cou…

— Génial, Billy Stuart ! dit Foxy.

Elle incite le lion à se pencher tout près du sol. De part et d'autre, nous glissons le collier autour de sa grosse tête.

Le sixième travail

Nous achevons l'opération pipiques.

Le collier de coquillages flotte à trois mètres du sol au-dessus de nous. Le lion redevenu presque invisible émet un dernier RUGISSEMENT en guise d'adieu et de remerciement.

— La porte du retour ! Elle est là ! nous avertit Bouki-Nos.

— Troupe, allons-y !

C'est avec le sentiment du devoir accompli que nous réapparaissons dans l'arène. La réaction du public en est une de surprise. Devant les **gradins** où prennent place le peuple d'Arezzo et son roi, le Pessimiste, je déclare :

— Le lion Astrakane porte dorénavant le collier de coquillages. Vous pourrez le voir et l'entendre.

Tarquin le Pessimiste brandit un poing fermé à la

hauteur de ses épaules. Puis, il tend le pouce et le tourne vers le CIEL. Il est imité par ses sujets.

À leur mine réjouie, je comprends à quel point notre mission était importante pour eux. Tout le contraire de Tarquin l'Ancien, qui nous fait la moue.

— Préparez-vous pour la réception donnée en soirée pour votre cinquième travail, dit-il sur un ton neutre.

Dans la section voisine, celle de la ville de Cortona, le roi Tarquin l'Optimiste s'adresse au scribe, Bouki-Nos.

— Suis-je naïf de croire que le jardin des grandes bardanes a été sarclé ?

Le scribe approuve d'un signe de tête. Le roi s'en montre ravi et il nous salue de son POUCE en l'air, geste repris de façon unanime par ses citoyens.

— Bravo! nous dit l'Optimiste. Vous avez réussi le sixième travail, avec une journée d'avance. Il fallait débarrasser le paysage des GRANDES bardanes et de leurs détestables boules épineuses.

Ça parle aux millions d'écrevisses de la rivière Bulstrode !

Je sens un frémissement de joie me parcourir l'échine. Par chance, et sans le savoir, nos tâches ont été réalisées à la frontière des deux **villes jumelles**, Arezzo et Cortona.

En pénétrant dans l'enceinte, j'avais l'impression de ne pas avoir emprunté, au retour, la même **porte** qu'au départ. Tarquin l'Optimiste me donne raison.

L'annonce de ce « deux pour un » ne sème pas que le **bonheur** dans l'arène. L'autre Tarquin, le *zilath mech rasnal,* affiche un air sombre. Le fait que nous soyons à mi-chemin des douze travaux le contrarie sûrement. Après tout, l'Ancien nous avait engagés dans ces **ÉPREUVES** simplement pour se moquer de nous et pour divertir les douze peuples de Tarquinia.

PAR VOLTUMNA.

Presque à contrecœur, Tarquin l'Ancien dirige son BÂTON vers les cinquième et sixième portes qu'il mure en quelques secondes. Galopin passe en vitesse derrière lui. Sans rajouter un mot, le grand patron du royaume de Tarquinia vire les talons.

Sapré Galopin !

Discrètement, il a lancé des *pipiques* dans le bas du dos de Tarquin l'Ancien. J'imagine sa tête quand il va s'asseoir tout à l'heure…

Hi! Hi! Hi!

Foxy, dans un élan de camaraderie, glisse son bras autour de mon épaule.

— Eh, Billy Stuart, tu te souviens que tu m'as dit de m'occuper de **TON chien** avant d'affronter le lion ?

Je contemple le ciel en feu, issu d'un soleil couchant.

— J'ignore de quoi tu parles, Foxy…

Par Voltumna! Billy Stuart et les Zintrépides ont triomphé des six premières épreuves au royaume de Tarquinia! Il y en a douze en tout. Billy et ses amis sont donc à mi-chemin.

Quels sont les travaux qui les attendent dans les prochains jours ? Parviendront-ils à surmonter cette tâche herculéenne pour retrouver la piste du grand-père Virgile?

À lire dans le douzième tome de la série.

À SUIVRE...

CHERCHE ET TROUVE

Peux-tu repérer ces éléments dans le livre ?

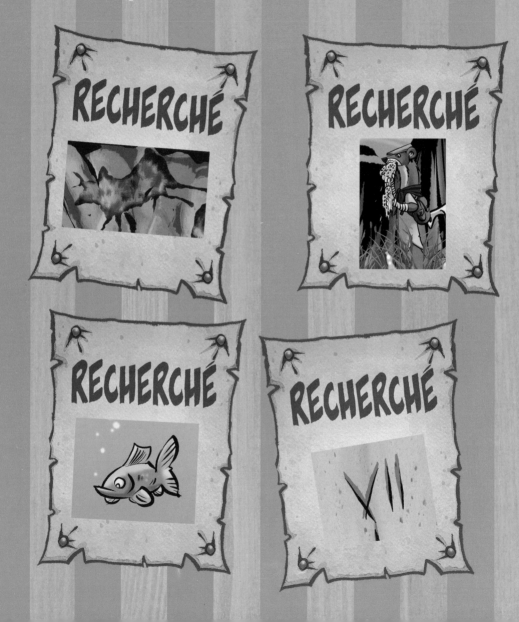

Solution à la page 158

SOLUTIONS

MESSAGE CACHÉ (P. 32)

IL TE SUFFIT DE NE LIRE QUE LE QUATRIÈME MOT DE CHAQUE LIGNE. CE QUI DONNE : CETTE FOIS, NOS AMIS ONT BIEN FAILLI Y RESTER.

L'ÉCREVISSE EN CHOCOLAT (P. 82)

POUR TROUVER LA SOLUTION, IL SUFFIT DE TOURNER TON LIVRE À L'ENVERS. L'ÉCREVISSE DE BILLY STUART SE TROUVE AU NUMÉRO 87.

LES DEVINETTES (P. 96)

1. LA REINE DE PIQUE.
2. DEUX CHIENS QUI JAPPENT.
3. LE MIEL DE TRÈFLE À QUATRE FEUILLES.
4. DE PIQUER UN PETIT SOMME.
5. ELLES SE SERRENT LA PINCE.

LA DISPARITION (P. 106)

APRÈS AVOIR MANGÉ LES RAYONS PRÉVUS POUR SA COLLATION, LE ROI TARQUIN LE GOURMAND N'A PU S'EMPÊCHER DE MANGER CEUX DESTINÉS AU MASQUE DE LA REINE. C'EST DONC LUI LE COUPABLE.

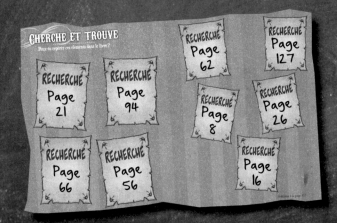

CHERCHE ET TROUVE
Peux-tu repérer ces éléments dans le livre ?

RECHERCHÉ Page 21
RECHERCHÉ Page 94
RECHERCHÉ Page 62
RECHERCHÉ Page 127
RECHERCHÉ Page 8
RECHERCHÉ Page 26
RECHERCHÉ Page 66
RECHERCHÉ Page 56
RECHERCHÉ Page 16

TABLE DES MATIÈRES